LIETUVA

LITHUANIA

TERRA PUBLICA

Lietuvos Respublika yra Baltijos regiono šalis, esanti geografiniame Europos centre, pietrytinėje Baltijos jūros pakrantėje. Lietuva jūra bei sausuma ribojasi su Latvija, Lenkija, Baltarusija, Rusijai priklausančia Kaliningrado sritimi. Bendras Lietuvos sienų ilgis yra 1732 km. Nors Lietuva yra jūrinė valstybė, ji valdo tik 90 km Baltijos jūros pakrantės. Bendras šalies plotas – 65 200 kv. km.

Lietuvos valstybės istorinis herbas – Vytis, sidabrinis šarvuotas raitelis su kalaviju ir skydu raudoname lauke. Pirmą kartą Vytis kaip valstybės ženklas panaudotas 1366 m. ant Lietuvos didžiojo kunigaikščio Algirdo antspauduoto dokumento. Pagrįstai galime didžiuotis, turėdami vieną seniausių valstybės herbų Europoje. Lietuvos tautinę vėliavą, vadinamą Trispalve, sudaro geltonos, žalios ir raudonos spalvos vienodo pločio audeklo juostos.

Lietuvos vardas pirmą kartą rašytiniuose šaltiniuose, Kvedlinburgo miesto metraščiuose, buvo paminėtas 1009 m. XIII a. viduryje lietuvių ir kitas aplinkines baltų gentis suvienijo pirmasis Lietuvos didysis kunigaikštis, taip pat ir vienintelis Lietuvos karalius Mindaugas. Valstybės įkūrimo diena švenčiama liepos 6 dieną. Nors dabar šalis yra katalikiška, tačiau krikštą priėmė vėliausiai Rytų Europoje – tik 1387 m.

Šalyje, valdomoje Seimo, Vyriausybės bei Prezidento, gyvena apie 3,192 mln. gyventojų (2012 m. duomenimis), dauguma jų yra lietuviai (83,9 proc.) ir save laiko katalikais (79 proc.). Lietuvoje darniai sugyvena ir 6,6 proc. lenkų, 5,4 proc. rusų, 1,3 proc. baltarusių ir kitų tautybių atstovai (2011 m. duomenimis).

Lietuvių kalba yra kilusi iš plačiausiai pasaulyje paplitusios indoeuropiečių kalbų grupės, kuriai priklauso ir germanų bei slavų kalbos. Lietuvių kalbai būdingos išlaikytos senovinės gramatinės kalbos formos, todėl manoma, kad lietuvių kalba yra archajiškiausia iš visų gyvų indoeuropiečių kalbų. Lietuvių kalbos gramatinės formos itin senovinės, panašios į visų senųjų indoeuropiečių kalbų formas (o kartais – ir dar senoviškesnės). Lietuvių kalbos abėcėlę sudaro 32 raidės.

2–3 p. Ventės ragas / The Ventė Cape
5 p. Lietuvos sostinė Vilnius / Vilnius, the capital of Lithuania

The Republic of Lithuania is one of the countries belonging to the Baltic States region, situated in the geographical centre of Europe, along the southeastern shore of the Baltic Sea. Lithuania shares its sea and land borders with Latvia, Poland, Belarus and the Russian exclave of the Kaliningrad Oblast. Though Lithuania has a sea access, the Lithuanian coastline of the Baltic Sea is only 90 km long. The total territory of the country covers 65 200 km^2.

The historical Coat of Arms of Lithuania – the armour-clad silver rider on a red field, holding a sword and shield – is also named Vytis (*the Chaser, the Pursuer*). Vytis is known to have been first used as the state emblem in 1366 on the seal of the Grand Duke of Lithuania and is one of the oldest national coats of arms in Europe. The Lithuanian flag, also named a tricolour, consists of three equal-sized yellow, green and red stripes.

The name of Lithuania was first referenced in the annals of Quedlinburg City in 1009. In the middle of the 13th century, the first Grand Duke and the only King of Lithuania Mindaugas united Lithuanian and other Baltic tribes. The establishment of the State is celebrated on July 6th. Although the country is now predominantly Catholic, it was the last to accept Christianity in Eastern Europe which accured as late as 1387.

The country is governed by Government, Parliament and President and has a population of 3.192 million (2012 est.), 83.9% of whom are Lithuanians, 6.6% are Poles, 5.4% are Russians and 1.3% are Belarussian (2011 est.). 79% of entire population are Catholics.

The Lithuanian language originated from the most popular group of Indo-European languages, which includes German and Slavic languages. The Lithuanian language is notable for its preserved antiquated grammar forms. It is believed to be the most archaic language of all other living Indo-European languages. The grammatical forms of the Lithuanian language are very similar to those characteristic to all old Indo-European languages (and sometimes even older). The Lithuanian alphabet consists of 32 letters.

7 p. Ruduo Paberžėje / Autumn in Paberžė

Trumpa Lietuvos istorija

Lietuva kaip valstybė susiformavo XIII a., jos įkūrėjas – vienintelis tikras Lietuvos karalius – Mindaugas, suvienijęs atskiras baltų gentis. Politinių tikslų genamas užkietėjęs pagonis pasikrikštijo, o 1253 m. liepos 6 d. Romos popiežiaus leidimu buvo karūnuotas Lietuvos karaliumi. Ši data yra laikoma Lietuvos Didžiosios Kunigaikštystės (LDK), taigi ir Lietuvos valstybės, įkūrimu.

1387 m. Lietuva priėmė krikštą ir ilgainiui virto ryčiausia katalikiškosios Europos šalimi.

1410 m. liepos 15 d. Lietuva ir Lenkija laimėjo Žalgirio mūšį ir galutinai sustabdė vokiečių ordino puldinėjimus.

1569 m., bandydamos išvengti stiprėjančios Rusijos įtakos, Lietuva ir Lenkija Liublino aktu sukuria bendrą valstybę – Abiejų Tautų Respubliką.

1579 m. įkurtas Vilniaus universitetas – reikšmingas europinio masto mokslo židinys.

Po 1795 m. įvykusio trečiojo Abiejų Tautų Respublikos padalijimo didžiąją dabartinės Lietuvos dalį aneksavo Rusija.

1831 m., 1863–1864 m. – sukilimai prieš Rusijos valdžią.

1864–1904 m. – spaudos draudimo metai. Draudžiama bet kokia spauda lotyniškais rašmenimis. Knygas į Lietuvą iš Mažosios Lietuvos slapta gabeno knygnešiai.

1914–1918 m. – Pirmasis pasaulinis karas, Vokietija užėmė Lietuvą.

1918 m. vasario 16 d. atkurta Lietuvos valstybė. Šalis spėriai stojosi ant kojų, suklestėjo ekonomika.

1919–1920 m. vyko Lietuvos ir Lenkijos ginkluotas konfliktas dėl Lenkijos okupuotų Vilniaus bei Suvalkų kraštų. Kaunas tuo laikotarpiu tapo laikinąja sostine.

1940 m. birželį Sovietų Sąjunga okupavo Lietuvą, o 1941 m. – ją aneksavo. Prasidėjo pirmieji trėmimai į Sibirą.

1941–1945 m. Lietuva buvo įtraukta į Antrąjį pasaulinį karą, Lietuvos teritoriją valdė vokiečių administracija.

1945 m. sąjungininkams nugalėjus Vokietiją, Lietuva atiteko Sovietų Sąjungai, prasidėjo masiniai lietuvių trėmimai į Rusiją.

1988 m. įkurtas Sąjūdis – politinė jėga, siekusi šalies nepriklausomybės.

1990 m. kovo 11 d. Lietuva paskelbė atkurianti nepriklausomybę. Lietuva buvo pirmoji sovietinė respublika, paskelbusi savo atsiskyrimą nuo Sovietų Sąjungos.

1991 m. sausio 13 d. Rusijos kareiviai šturmavo Lietuvos televizijos bokštą, iš kurio transliuotos naujienos. Žuvo civiliai gynėjai.

2004 m. Lietuva įstojo į NATO bloką bei tapo Europos Sąjungos nare.

9 p. Raudonės pilis / Raudonė Castle

The history of Lithuania

Lithuania as a state was formed in the 13ᵗʰ century. Its establisher is the only true king of Lithuania, Mindaugas, who had united separate Baltic tribal groups. Though being a confirmed pagan, he was baptised and was authorised by the Pope of Rome to be crowned as King of Lithuania on July 6ᵗʰ, 1253. This date is considered to be the date of the establishment of the State of Lithuania.

1387 – Lithuanian converts to Christianity and eventually becomes the easternmost country of Catholic Europe.

1410, July 15ᵗʰ – Lithuania and Poland win the Battle of Žalgiris (Battle of Grunwald) and finally stop the raids of the German Order.

1569 – In order to avoid the increasing influence of Russia, by the Lublian Union Lithuania and Poland replace the union of two countries with the Polish-Lithuanian Commonwealth.

1579 – Vilnius University, an important scientific and education centre of the European scale, is opened.

Following the third partition of the Polish-Lithuanian Commonwealth in 1795, the best part of the present territory of Lithuania was annexed by Russia.

1831, 1863–1864 – Uprisings against the Russian oppression.

1864–1904 – Years of press banning. Any press in the Latin alphabet is banned.

1914–1918 – World War I. Lithuania is occupied by Germany.

1918, February 16ᵗʰ – The State of Lithuania is re-established. The country is rapidly recovering and demonstrating a prospering economy.

1919–1920 – Armed conflict between Lithuania and Poland for the Vilnius region and Suvalkai region occupied by Poland. Kaunas becomes the temporary capital of Lithuania.

1940, June – Lithuania is occupied and annexed (1941) by the Soviet Union.

1941–1945 – World War II. Lithuania is occupied by Germans.

1945 – Allies defeat Germany and Lithuania is reoccupied by the Soviet Union. Mass deportation campaigns start to exile Lithuanians to Russia.

1988 – The Lithuanian reform movement and political force *Sąjūdis* is founded to seek for Lithuania's independence.

1990, March 11ᵗʰ – Lithuania proclaims the restitution of Lithuanian independence, becoming the first of the Soviet republics to declare its detachment from the Soviet Union.

1991, January 13ᵗʰ – Soviets forcibly take over the TV tower, which broadcasts the news, and kill unarmed civilians.

2004 Lithuania becomes a NATO member and joins the European Union.

11 p. Gedimino bokštas / Gediminas Tower

Lietuvos klimatas – pereinantis iš jūrinio į žemyninį, drėgnas tiek žiemą, tiek ir vasarą. Didžiausią įtaką Lietuvos klimatui daro Atlanto vandenynas bei Golfo srovė. Orai Lietuvoje permainingi visais metų laikais. Vidutinė metinė temperatūra šalyje yra 6,2 °C. Skirtumas tarp šilčiausio (liepos) ir šalčiausio (sausio) mėnesių statistiškai siekia 21,8 °C.

The climate in Lithuania is transitional between maritime and continental, damp both in winter and summer. The Lithuanian climate is mainly influenced by the Atlantic Ocean and the Gulf Stream. Weather conditions seem to be unstable throughout the year. The average annual temperature is about +6.2°C. Statistically, the difference between the warmest month (July) and the coldest month (January) is 21.8°C.

12 p. Ruduo Siesikuose / Autumn in Siesikai village
13 p. Senovinis avilys Lietuvos liaudies buities muziejuje / An ancient hive in the Open Air Museum of Lithuania
14–15 p. Neris prie Kernavės / The Neris at Kernavė

Lietuvos gamta – unikali, nesuniokota beribės pramonės, todėl šalyje populiarus kaimo turizmas. Lietuvos reljefas – besidriekiančios lygumos, akis pagauna vos vieną kitą aukštesnę kalvelę ar kauburėlį, miškais apėjusį. Aukščiausia šalies vieta virš jūros lygio – 293,84 m (Aukštojo kalnas), žemiausia – Nemuno deltoje, Rusnės saloje, – 1,3 m žemiau jūros lygio.

Lithuania has unique nature unspoilt by endless industry, which makes rural tourism very popular among Lithuanians. The landscape of Lithuania consists of low-lying plains, scarcely alternating with somewhat higher knolls and hursts. The highest point is 293.84 m above sea level (Aukštojas Hill), the lowest point is 1.3 m below sea level, found on the Rusnė in the Nemunas River Delta.

16 p. Lietuvos liaudies buities muziejus / The Open Air Museum of Lithuania
17 p. Užulėnio kaimas rudenį / Užulėnis village in autumn
18 p. Voveraitė miške / Squirrel in forest
19 p. Stumbras Pašilių stumbryne / Wild auroch in Pašiliai Auroch Reserve

Didžiausia Lietuvos upė – Nemunas, vadinamas upių tėvu, šalies teritorija tekantis 475 km (bendras upės ilgis – 937 km). Lietuvoje yra beveik 4 500 ežerų ir ežerėlių, daugiausia tai – paskutiniojo ledynmečio amžiaus dovana. Daugelis ežerų nedideli, visi kartu jie užima apie 1,5 proc. visos Lietuvos ploto. Didžiausias ežeras – Drūkšiai (4 479 ha), esantis Zarasų rajone.

The largest Lithuanian river is the Nemunas, also referred to as the father of Lithuanian rivers. The length of the Nemunas in Lithuania is 475 km (total length of the river is 937 km). There are nearly 4.500 lakes and ponds in Lithuania, most of them being formed by the Last Glacial Epoch. Many lakes are quite small and all together they cover as little as approximately 1.5% of the total area of Lithuania. The largest lake is Drūkšiai (4479 ha) in the Zarasai region.

20 p. Dzūkijos nacionaliniame parke / In Dzūkija National Park
21 p. Valtis Kuršių mariose / Boat in the Curonian Lagoon

Lietuvoje aukštų kalnų nėra, o tai, ką turime, galime vadinti tik kalvomis. Ypač Lietuvos kraštovaizdį puošia unikalus reiškinys visame pasaulyje – piliakalniai – dirbtinės ar natūralios prigimties kalvos, unikalios baltų gynybinės sistemos dalis. Ant kai kurių piliakalnių (piliaviečių) (Pilies piliakalnis Kernavėje, Merkinės, Liškiavos piliakalniai) stovėjo senovės lietuvių gynybinės pilys, ant kitų kalnų pasirodžius priešams buvo kuriami signaliniai laužai, kurių dūmai buvo matomi už keliasdešimt kilometrų. Lietuvoje priskaičiuojama apie 800 piliakalnių.

There are no high mountains in Lithuania. However, much of the landscape is decorated with mounds, either natural or man made used, by the ancient Balts as defensive fortifications. On top of these mounds castles were built such as Pilis Mound in Kernavė, Merkinė and Liškiava Mounds. Other mounds served as fire hills to warn about approaching enemies, as the smoke could be seen kilometres away. There are about 800 mounds in Lithuania.

22 p. Piliakalnis Kernavėje / Mound in Kernavė
23 p. Piliakalnis Prienų rajone / Mound in Prienai region

Daugelyje ypatingų savo grožiu ar istoriniu palikimu šalies vietų įkurti regioniniai ar nacionaliniai parkai – saugomos teritorijos, įsteigtos gamtiniams ir kultūriniams savitumams saugoti ir tvarkyti. Turime penkis nacionalinius parkus: Aukštaitijos (40 000 ha); Dzūkijos (55 900 ha); Kuršių nerijos (26 394 ha); Trakų istorinį (8 300 ha); Žemaitijos (21 720 ha).

Many areas of outstanding beauty and historical heritage in Lithuania have been transformed into regional or national parks which are protected zones established for the conservation and handling of natural and cultural distinctions. There are five national parks in Lithuania: Aukštaitija National Park (40 000 ha); Dzūkija National Park (55 900 ha); Kuršių nerija (*Curonian Spit*) National Park (26 394 ha); Trakai National Historical Park (8 300 ha); Žemaitija National Park (21 720 ha).

24 p. Kryžiai-saulutės Žemaitijoje / Lithuanian ornamented crosses in Samogitia
25 p. Gyvenamasis namas Aukštaitijoje / House in Aukštaitija

Šiuo metu Lietuvos teritorija yra dalijama į penkis etnografinius regionus: Aukštaitiją, Suvalkiją, Dzūkiją, Žemaitiją ir Mažąją Lietuvą. Skirtumai tarp etnografinių regionų atsirado dėl istorinių bei gamtinių aplinkybių. Regionai skiriasi savo papročiais, nacionalinio kostiumo dekoru, kalbiniais dalykais, skirtinga ir atskirų regionų nacionalinė virtuvė. Etnografinių regionų skirtumus bei ypatumus galima pajusti Rumšiškių liaudies buities muziejuje.

The territory of Lithuania is divided into five ethnographic areas, or regions: Aukštaitija (*Highlands*), Žemaitija (*Samogitia*), Dzūkija, Suvalkija (*Sudovia*) and Lithuania Minor. Differences among these regions have developed as a result of the unsettled history of the State of Lithuania, different natural conditions. Some differences are obvious (cuisine, national costumes, industries and crafts), while others, different dialects for example, are not so easy to see. The Open Air Museum in Rumšiškės displays the heritage of rural life of all ethnographic regions, including authentic buildings, farmsteads and hamlets.

26 p. Sodyba Lietuvos liaudies buities muziejuje / The Farmstead in the Open Air Museum of Lithuania
27 p. Šv. Florijono skulptūra Lietuvos liaudies buities muziejuje / Sculpture of St. Florian in the Open Air Museum of Lithuania

Per visą Lietuvos valstybės gyvavimo laikotarpį valstybės sostine yra buvę keturi miestai: Kernavė, Trakai, Vilnius ir Kaunas. Vilnius, dabartinė Lietuvos sostinė bei didžiausias šalies miestas, valstybės sostine buvo ilgiausiai – nuo pat XIV a. pradžios iki šių dienų. Vilniaus miesto įkūrėjas – Lietuvos didysis kunigaikštis Gediminas, kurio 1323 m. sausio 25 d. laiške pirmą kartą įvardijamas Vilniaus miestas. Tuos senus laikus mena įspūdingo grožio Vilniaus senamiestis, įtrauktas į UNESCO Pasaulio paveldo sąrašą.

Throughout the entire historical period of its statehood, Lithuania has had four capital cities or towns: ancient capital Kernavė, momentary capital Trakai, temporary capital Kaunas and Vilnius, the longest-lived and present capital of Lithuania. Vilnius was founded by Gediminas, Grand Duke of Lithuania. In his letter dated on January 25th, 1323 the name of Vilnius city is mentioned for the first time. The Old Town of Vilnius, which is the biggest old town in Eastern Europe, is included in the list of UNESCO World Heritage Sites.

28–29 p. Kernavė / Kernavė
30 p. Vilniaus miesto stogai / Roofs of Vilnius City buildings
31 p. Neries krantinė naktį / The quay of the Neris at night

Gedimino kalno papėdėje stovi daug istoriškai svarbių pastatų: tai dabar atstatomi Valdovų rūmai, Senasis ir Naujasis arsenalai, arkikatedra bazilika bei paminklas Vilniaus miesto įkūrėjui LDK didžiajam kunigaikščiui Gediminui bei Valstybės įkūrėjui ir vieninteliam Lietuvos karaliui Mindaugui. Vienas pagrindinių papilės komplekso akcentų – Šv. Stanislovo ir šv. Vladislovo arkikatedra bazilika, pastatyta 1251 m., kaip manoma, pagonių šventyklos vietoje vienintelio Lietuvos karaliaus Mindaugo laikais.

There are many buildings of historical importance situated at the foot of the Gediminas Hill, the symbol of the City of Vilnius, such as the Palace of Grand Duke, the Old Arsenal and the New Arsenal, the Cathedral and monuments of Gediminas, Grand Duke of Lithuania and founder of Vilnius city, and Mindaugas, the first and only king of Lithuania and founder of the State of Lithuania. One of the main features at the foot of the castle complex is the Cathedral Basilica of St. Stanislaus and St. Ladislaus built in 1251. The Cathedral is allegedly built at the place of pagan temple in the times of Lithuanian king Mindaugas.

32 p. Šv. Stanislovo ir šv. Vladislovo arkikatedra bazilika / The Cathedral of St. Stanislaus and St. Ladislaus
33 p. Trijų Kryžių monumentas / The monument of Three Crosses

Daugelis istorijos epochų paliko savo pėdsakus Vilniaus miesto architektūroje, bet tikriausiai nekyla abejonių, kad daugiausia pačių įspūdingiausių šedevrų dovanojo vėlyvojo baroko epocha. Vienas tokių šedevrų – arkikatedroje bazilikoje esanti Šv. Kazimiero koplyčia, pastatyta 1620–1636 m. Zigmanto Vazos iniciatyva Lietuvos globėjo šv. Kazimiero garbei. Koplyčioje virš altoriaus sidabriniame sarkofage ilsisi šventojo Kazimiero palaikai. Virš karsto stovi jo skulptūra su lelijų šakele.

The architecture of Vilnius city reflects the traces of many periods, but the most impressive buildings date from the baroque period. The Chapel of St. Casimir is one of them. The chapel was built in honour of Saint Casimir, first saint patron of Lithuania, at the initiative of Sigismund Vasa in 1620–1636. The remains of Saint Casimir rest in a silver sarcophagus which sits above the altar in the chapel. On the top of the coffin there is a sculpture representing the saint with a lily in his hands.

34 p. Šv. Kazimiero koplyčia / The Chapel of St. Casimir
35 p. Žvilgsnis į Dominikonų bažnyčią iš Stiklių gatvės / The Dominican Church, view from Stikliai street side

Vilnius garsėja įvairių religijų bažnyčių grožiu. Aušros vartai – vienas iš Vilniaus simbolių. Ši koplyčia yra ir visoje Lietuvoje bei užsienyje garsi katalikų šventovė, garsi stebuklingu ir plačiai garbinamu Dievo Motinos paveikslu. Šio garsaus paveikslo kopijų galima išvysti ne tik katalikų, bet ir ortodoksų bažnyčiose.

Vilnius is well known for its beautiful churches of various faiths. The Gate of Dawn (Aušros Vartai) chapel is one of the symbols of Vilnius. Today it is one of the most famous and beloved Catholic shrines in the world, containing a renowned miraculous painting of the Mother of God. Many copies of this painting can be seen not only in Catholic but in Orthodox churches as well.

36 p. Aušros Vartų koplyčia / Chapel of the Gate of Dawn
37 p. Aušros Vartų Švč. Mergelės Marijos, Gailestingumo Motinos, paveikslas / Painting of the Blessed Virgin Mary, Mother of Mercy

Vilniaus miestas turtingas įvairiausio stiliaus kulto pastatų. Įspūdingo grožio Šv. Onos bažnyčia, pastatyta kairiajame Vilnios krante, yra vienas gražiausių ir tikriausiai garsiausių Vilniaus statinių. Ne mažiau garsi Šv. apaštalų Petro ir Povilo bažnyčia, stovinti Antakalnio pašonėje, brandžiojo baroko šedevras. Vertingiausia bažnyčios dalis – jos vidaus puošyba – nustebina kiekvieną ten apsilankiusį.

Vilnius is rich with churches of various styles. One of the most beloved churches in Vilnius is St. Anne's Church, which is one of the most beautiful and probably the most famous architectural structures in Vilnius. Sts. Peter and Paul's Church, built in the Antakalnis neighbourhood, is the most exquisite example of the mature baroque architecture in Vilnius. The most noticable part of the church is its inner décor, which amazes every visitor.

38 p. Šv. apaštalų Petro ir Povilo bažnyčia / Sts. Peter and Paul's Church
39 p. Vilniaus miesto bažnyčios / Churches of the city of Vilnius

Vilniaus universitetas, įkurtas 1579 metais, – viena seniausių ir žymiausių Rytų Europos aukštųjų mokyklų. Dabartinis universiteto pastatų kompleksas, kuriam priklauso ir Šv. Jonų bažnyčia, užima visą senamiesčio kvartalą tarp Pilies, Universiteto, Šv. Jono ir S. Skapo gatvių. Patys vertingiausi universiteto interjerai yra rektorate, universiteto bibliotekoje. Nuo Observatorijos bokšto atsiveria graži miesto panorama.

Since its establishment in 1579 Vilnius University is one of the oldest and most prominent higher schools in Eastern Europe. The complex of University buildings includes Sts. Johns' Church and occupies a quarter of the Old Town of Vilnius bordered by Pilies, Universiteto, Šv. Jono and S. Skapo streets. The most luxurious interiors of the University are found in the rector's office and library, and is particularly worthy of note. The tower of the Observatory overlooks a beautiful panorama of the city.

40 p. P. Smuglevičiaus salė, Vilniaus universiteto biblioteka / P. Smuglewicz Hall, Library of Vilnius University
41 p. Vilniaus universitetas / Vilnius University

Vienas įdomiausių bei unikaliausių Vilniaus rajonų – Užupis, įsikūręs visai šalia pat išpuoselėto barokinio Vilniaus senamiesčio. Tai vos 0,6 ha užimanti Vilniaus dalis, nevaržomų menininkų kvartalas, dažnai lyginamas su Paryžiaus Monmartru ar Kopenhagos Kristianija. Užupis – tai atskira Užupio respublika, kaip tai teigia riboženklis prie tilto per Vilnelę.

Užupis or the Republic of Užupis, as it is written on the landmark near the bridge over the River Vilnelė, is the most fascinating and unique section of Vilnius. It covers 0.6 ha near the elegant Old Town of Vilnius in the baroque style. This area is a haven for free-spirited artists, often compared to Montmartre in Paris or Christiania in Copenhagen.

42 p. Užupio respublikos riboženklis / The Landmark of Užupis Republic
43 p. Užupis / Užupis

Trakai – vienas lankomiausių Lietuvos miestų, Lietuvos istorijai svarbus kaip antroji Lietuvos valstybės sostinė. Senuosiuose Trakuose apie 1350 m. gimė Gedimino anūkas Lietuvos didysis kunigaikštis Vytautas Didysis, todėl Trakai yra Lietuvos kūrėjo tėvonija. Žymiausias Trakų pastatas – Salos pilis – puikus gotikos ir vokiškosios gynybinės pilies pavyzdys. Unikali ir pakankamai reta pilies vieta – sala, apsupta tyro Galvės ežero.

Being one of the most frequently visited Lithuanian towns, Trakai is important to the history of Lithuania as it was once the second capital of Lithuania. The Lithuanian Grand Duke Vytautas the Great, grandson of Gediminas, was born in Senieji Trakai ca. 1350. The most prominent building in Trakai is the Island Castle. It is a perfect example of a Gothic and German-style defensive castle. The castle is built in a unique and quite unusual place – on an island surrounded by a natural lake Galvė.

44–45 p. Trakų salos pilis / Trakai Island Castle
46 p. Trakų pusiasalio pilis / Trakai Peninsula Castle
47 p. Trakų salos pilies bokštas / The Tower of Trakai Island Castle

Antrasis pagal dydį Lietuvos miestas – Kaunas – išsiskiria nesibaigiančia žaluma: parkai bei medžių gojai siekia ir pagrindinę miesto gatvę – Laisvės alėją, kuri kartu su ašine senamiesčio Vilniaus gatve sudaro ilgiausią pėsčiųjų zoną Rytų Europoje. Laisvės alėja – mėgstama kauniečių pasivaikščiojimo vieta. 1919 m. lenkams užėmus Lietuvos sostinę Vilnių, Kaunas tapo laikinąja sostine. Čia kūrėsi pagrindinės valdžios institucijos, posėdžiavo Seimas.

Kaunas is the second largest city in Lithuania. Kaunas is outstanding for its endless greenery, parks and groves extending to the central street of the city – Laisvės Alėja (Liberty Avenue), which together with Vilniaus Street, the central street in the Old Town, forms the longest pedestrian zone in Eastern Europe. Laisvės Alėja is a favourite promenade for Kaunas residents. In 1919, when the Lithuanian capital Vilnius was occupied by the Poles, Kaunas became a temporary capital. Central government authorities were established and meetings of the Parliament (Seimas) were held in Kaunas at that time.

48–49 p. Kauno miestas / Kaunas City
50 p. Nemuno krantinė / The quay of the Nemunas
51 p. Kauno senamiestis / Kaunas Old Town

Kauno istorija prasideda nuo seniausio Kauno pastato – Kauno pilies, kuri rašytiniuose šaltiniuose pirmą kartą paminėta 1361 m. Šie metai laikomi Kauno miesto pradžia. Kaunui dėl savo patogios geografinės padėties tapus svarbiu prekybiniu šalies centru, miesto gyvenimo ašis nuo Kauno pilies persikėlė į Rotušės aikštę, kurią supa gyvenamieji ir viešosios paskirties pastatai. Kauno rotušė laikoma puošniausia iš trijų išlikusių miestų rotušių Lietuvoje.

The history of Kaunas starts with the oldest structure in Kaunas – Kaunas Castle. It was first mentioned in written sources in 1361, the date considered to be the conception of Kaunas town. Thanks to its geographical location and the confluence of two rapid rivers, Kaunas became a centre of trade and at that time the heartbeat of the city moved from the Castle to the Town Hall and the surrounding area. Out of the three remaining town halls in Lithuania, Kaunas has the most luxurious one.

52 p. Kauno pilis / Kaunas Castle
53 p. Kauno miesto rotušė / The Town Hall of Kaunas

Vilniaus gatvės, kuri jungia Kauno senamiestį su naujamiesčiu ir Laisvės alėja, pradžioje neįmanoma nepastebėti Šv. apaštalų Petro ir Povilo arkikatedros bazilikos – didžiausio gotikinio pastato Lietuvoje, kuris savo tūriu dominuoja nedideliame Kauno senamiestyje.

It is impossible to miss the Cathedral Basilica of Saints Peter and Paul situated at the beginning of Vilniaus Street, which joins the Old Town with the New Town (Lithuanian: *Naujamiestis*) and Laisvės Alėja. It is the biggest gothic-style church in Lithuania, dominating for its size in the compact Old Town of Kaunas.

54 p. Perkūno namas / The House of Thunder
55 p. Šv. apaštalų Petro ir Povilo arkikatedros bazilikos interjeras / The interior of the Cathedral Basilica of Sts. Peter and Paul

Šiuo metu Lietuvoje veikia 75 vienuolynai, 9 vyrų bei 32 moterų vienuolijos. Šalia Kauno marių, Pažaislyje, iškilęs Pažaislio vienuolyno ansamblis – Kauno Versalis, brandžiojo baroko architektūros šedevras, vienas įspūdingiausių architektūrinių pastatų kompleksų Lietuvoje.

Presently there are 75 monasteries in Lithuania, 9 male and 32 female religious orders. Situated on a peninsula of the Kaunas Lagoon, called Mountain of Peace, there is the Pažaislis Monastery Ensemble – Kaunas Versailles, a masterpiece of the mature baroque architecture and one of the most impressive architectural complexes in Lithuania.

56–57 p. Pažaislio vienuolyno ansamblis / Pažaislis Monastery Ensemble
58 p. Kamaldulių vienuolių herbas / Coat of arms of the Camaldolian monks
59 p. Šešiakampis bažnyčios kupolas / Hexagonal dome of the Church

12 km nuo Šiaulių nutolęs Jurgaičių (Domantų) piliakalnis vadinamas Kryžių kalnu. Nepriklausomybės metais Kryžių kalnas labai išaugo, dabar kryžiai nebesutelpa ant piliakalnio ir statomi kalno papėdėje. Tai įvairaus dydžio kryžiai, koplytstulpiai, šventųjų skulptūrėlės, kiekvienas jų dar nusagstomas mažyčiais kryželiais ar rožiniais. Lietuvos kryždirbystė ir kryžių simbolika įtraukti į UNESCO Žmonijos nematerialaus paveldo sąrašą. Tradiciniai lietuvių kryžiai – tai unikalūs statiniai su architektūros, skulptūros, kalvystės elementais.

Just some 12 km from Šiauliai, beside the Šiauliai highway, there is Jurgaičiai or Domantai hill, called the Hill of Crosses. The crosses of various sizes, pillar-type shrine crosses and statues of saints are each decorated with rosaries and smaller crosses. These days crosses are placed at the foot of the hill, as there is not enough space for them on the mound. Cross crafting and its symbolism in Lithuania was proclaimed by UNESCO as a Masterpiece of the Heritage of Humanity. Traditional Lithuanian crosses represent original structures that combine elements of architecture, sculpture and blacksmith art.

60 p. Kryžiai ant Jurgaičių piliakalnio / Crosses on the Jurgaičiai mound
61 p. Augantis Kryžių kalnas / Hill of Crosses is growing rapidly

Nemuno deltos regioninis parkas apima labai savitą Lietuvos kraštovaizdžio dalį, kurią sudaro didžiausios Lietuvos upės Nemuno delta, ežerai, pelkės bei užliejamosios pievos. Deltoje gyvenantiems žvejams labai svarbu buvo įsikurti kuo patogesnėje vietoje prie vandens, todėl seniausios žvejų sodybos buvo padrikai išdėstomos patogesnėse vietose ar suburiamos grupelėmis. XVIII a. pagal valdovo įsaką seni žvejų kaimai buvo perplanuojami, taisyklingai išdėstant sodybas ir pastatus pakrantėje. Matyt, taip išaugo Minijos žvejų kaimas abipus Minijos žemupio. Tai gatvinis 19 sodybų žvejų kaimas, kurio pagrindinė gatvė yra Minijos upė.

Nemunas Delta Regional Park encompasses a very distinctive part of the Lithuanian landscape, consisting of the biggest Lithuanian river Nemunas, lakes, swamps and water meadows. For fishermen living in the Nemunas Delta it was of vital importance to find the best possible place to settle near the water. That's why the earliest fishermen's farmsteads were scattered in more comfortable places or gathered in groups. In the 18th century, the oldest fishermen's villages were re-planned following the ruler's order. Then farmsteads and buildings were arranged in a certain order. Supposedly, this was the case with Minija, fishermen village on both banks of the lower Minija River. It is a street-divided village of fishermen with 19 farmsteads. The main street is the Minija River.

62–63 p. Minijos žvejų kaimas / Fishermen village Minija
64 p. Sodyba Ventės kaime / Homestead in Ventė village
65 p. Ventės rago švyturys / The lighthouse in Ventė Cape

Klaipėda – vienintelis Lietuvos neužšąlantis uostas, trečiasis pagal dydį šalies miestas, įsikūręs Kuršių marių ir Baltijos jūros susiliejimo vietoje. Miestas labai nukentėjo per Antrąjį pasaulinį karą, kurio metu žuvo dauguma gyventojų. Dabar Klaipėda žavi kiekviename žingsnyje, čia senieji pastatai dera su naujais, skęstančiais beribėje žalumoje, žvilgsnis užkliūva už daugybės miestą puošiančių skulptūrų, o kūną ramina tyliai ošianti Baltijos jūra. Klaipėda ypač atgyja liepos mėnesio pabaigoje, kada mieste vyksta Jūros šventė, taip pat Klaipėdą garsina kasmetinis tarptautinis Pilies džiazo festivalis.

Klaipėda is the only ice-free port in Lithuania and the third biggest city of Lithuania, situated at the confluence of the Curonian Lagoon and the Baltic Sea. The city was heavily damaged in the World War II. Many locals were killed. Today, Klaipėda is captivating in every way: old buildings are in concert with new ones, lost in infinite greenery. Visitors can admire numberless sculptures and enjoy the soothing murmur of the Baltic Sea. Klaipėda becomes extremely vivid in late July, when the Sea Festival is held here. Klaipėda is also famous for its annual Pilies International Jazz Festival.

66–67 p. *Klaipėdos miesto panorama / Panorama of the Klaipėda City*
68 p. *Naujoji Klaipėdos miesto perkėla / View from ferry to the quay*
69 p. *Fachverko pastatai Daržų gatvėje, Klaipėdoje / Fachwerk style buildings in Daržų Street, Klaipėda*

Klaipėdos senamiestis iš kitų Lietuvos miestų senamiesčių išsiskiria savita vokiečiams būdinga fachverko stiliaus architektūra, kurios gausu mieste. Pagrindiniai šio stiliaus pastatai išsidėstę Aukštosios, Bružės, Didžiosios Vandens, Kepėjų, Kurpių gatvėse. Pagrindinė Klaipėdos senamiesčio aikštė – Teatro, ją pamėgę klaipėdiečiai ir miesto svečiai. Teatro aikštės centre stovi Taravos Anikės (1912 m., skulptorius – A. Kuhn) statula – paminklas 1605 m. Klaipėdoje gimusiam ir kurį laiką gyvenusiam vokiečių poetui Simonui Dachui.

The Old Town of Klaipėda differs from other old towns in Lithuania. It is outstanding for its German-style timber framing (*Fachwerk*) architecture. The main buildings representing this style are situated along Aukštosios, Bružės, Didžiosios Vandens, Kepėjų, Kurpių streets. The main square in the Old Town of Klaipėda is Teatro (*Theatre*) Square. It is frequented both by local residents and tourists. In the centre of the square, there is a figure of Ännchen von Tharau (Ann from Tharau) (by A. Kuhn, 1912), a monument to Simon Dach, German poet, who was born in Klaipėda in 1605 and lived there for several years.

70 p. Mažosios Lietuvos istorijos muziejus / Lithuania Minor History Museum
71 p. Taravos Anikė naktį / Ännchen von Tharau at night

Palanga vadinama lietuvių vasaros sostine, nes žiemą tylus kurortinis miestas vasarą atgyja ir sutraukia minias šalies gyventojų. Juos čia vilioja smėlėti balti paplūdimiai, naktinės linksmybės, daugybė dirbančių barų ir kavinių, sanatorijos. Pagrindinė miesto gatvė – J. Basanavičiaus – vasarą tampa miestiečių ir turistų pasivaikščiojimo vieta, čia veikia daugybė kavinių, pramogų vietų. Ji veda Palangos tilto link, kur poilsiautojai vakarais palydi saulę – tai įprastas vasaros poilsio ritualas. Poilsiautojai pamėgo Palangos botanikos parką bei puošnius Felikso Tiškevičiaus rūmus, kuriuose nuo 1963 m. veikia unikalus Gintaro muziejus.

Palanga is also known as the summer capital of Lithuania. Quiet in winter, the resort town revives in summer and attracts hordes of people. Tourists are lured by white sand beaches, night entertainment, numerous bars, cafes and health resorts. In the summer, the central street of the town, J. Basanavičiaus Street, becomes the most popular place for locals and tourists. The street leads to the sea bridge, where holidaymakers go to see the sunset every evening, it is a popular summer holiday ritual. Holidaymakers also enjoy the Palanga Botanical Park and the ornate palace of Feliks Tyszkiewicz, where the unique Amber Museum was opened in 1963.

72–73 p. Palangos tiltas naktį / Palanga bridge at night
74 p. Tiškevičių dvaro rūmai Palangoje / The palace of the Tyszkiewiczs in Palanga
75 p. Baltijos jūra / The Baltic Sea

Kuršių nerija, Lietuvos kraštovaizdžio perlas, yra siauras pusiasalis, skiriantis Kuršių marias nuo Baltijos jūros. Neringos miestas įkurtas 1961 m., apjungus Lietuvos teritorijoje esančias Kuršių nerijos gyvenvietes: Pervalką, Juodkrantę, Preilą ir Nidą. Šioje beveik 90 kv. km teritorijoje nuolat gyvena apie 3 000 gyventojų. Miesto ilgis – 50 km.

The Curonian Spit, gem of Lithuanian landscape, is a narrow peninsula separating the Curonian Lagoon from the Baltic Sea. Neringa was formed in 1961 by uniting the settlements of the Curonian Spit – Pervalka, Juodkrantė, Preila and Nida – into a new town. Covering nearly 90 square kilometres, the territory has a permanent population of ca. 3.000. The town stretches 50 km in length.

76 p. Kopos Naglių rezervate / Dunes in the Nagliai Nature Reserve
77 p. Sklandytojų kopa / Sklandytojai dune

Siaurą ir ilgą pusiasalį suformavo slinkdami ledynai, jūros dugne sustūmę morenines salas, vėliau vėjas bei jūros bangos čia sunešė smėlį ir suformavo smėlio kopas. Kuršių nerija nuolat keliauja, smėlį nešantis vėjas nuolat keičia pusiasalio veidą. Taip buvo ir seniau, kai smėlis užpildavo ištisus kaimus ir žmonės vėl ir vėl statydavo naujus trobesius, bandydami sugyventi su atgrasia gamta.

The thin and long peninsula was formed by the retreating glacier. At first, moraine islands were formed on the sea bottom. When the sand emerged from the sea, wind and waves carried the sand forward and shaped it into dunes. The Curonian Spit is constantly moving because of the unresting winds which carries the sand and changes the face of the peninsula. This has always been the case and entire villages have been buried under the sand from time to time forcing local inhabitants to rebuild them in the constant struggle to coexist with this harsh environment.

78 p. Kopos Naglių rezervate / Dunes in the Nagliai Nature Reserve
79 p. Kuršių nerijos dalis / Part of Curonian Spit

Poilsiautojus vilioja kurortinės senosios vasarvietės – Nida, Juodkrantė, Preila, Pervalka ir Smiltynė. Ramybė, išskirtinė gamta ir švarus oras sutraukia nemažai poilsiautojų ne tik iš Lietuvos. Čia nuo seno poilsiauja nemažai vokiečių, daugėja turistų iš kitų Vakarų Europos šalių.

Olden summer resorts Nida, Juodkrantė, Preila, Pervalka and Smiltynė catch holidaymakers' fancy. Nature, quietness, clean air and exclusive landscape attract many holidaymakers not only from Lithuania. These places have been preferred by Germans for long; the number of tourists from other Western European countries is also growing.

80 p. Tomo Mano namas-muziejus Nidoje / Thomas Mann Culture House-Museum in Nida
81 p. Nidos jachtų uostas / Yacht berth in Nida

Neringos teritorijoje įkurtas Kuršių nerijos nacionalinis parkas – labiausiai lankoma ir saugoma teritorija Lietuvoje. 2000 m. parkas įtrauktas į UNESCO Pasaulio paveldo sąrašą. Tai išties įspūdingo grožio unikali vieta, pritaikyta ramiam poilsiui smėlio, jūros ir būdingo kuršiško krašto gyvensenos apsuptyje. Parko teritorijoje yra gausu pažintinių takų, vienas įdomiausių – Naglių gamtos rezervato pažintinis takas, pustomas smėlio, su užpustytais kaimais bei stulbinamu Pilkųjų kopų peizažu. Gražiausios Nidos panoramos atsiveria nuo Parnidžio kopos, į kurią veda Parnidžio pažintinis takas.

The Curonian Spit (*Kuršių nerija*) National Park, the most frequently visited and strictly preserved territory, is established in the territory of Neringa. The Curonian Spit National Park was included into the UNESCO World Heritage List. It is a place of impressive beauty, well suited for quiet relaxation in the surroundings of sand, sea and unique Curonian life style. The park has many trails. One of the most interesting paths weaves through the Nagliai Nature Reserve, boasting villages buried under the sand and stunning scenery of the Grey (Dead) Dunes. The Parnidis dune, which has it's own special trail, overlooks the most remarkable panoramas of Nida.

82 p. Kuršiška vėtrungė / Curonian weathervane
83 p. Jachtos Nidos uoste / Yachts in Nida sea berth

UDK 914(474.5)(036)
Li-147

Išleido / Published by

VšĮ „Terra Publica"
Tilžės g. 18, LT-47181 Kaunas, Lietuva / Lithuania
Tel. / Tel. +370 37 328820, faksas / fax +370 37 328821
El. paštas / E-mail: info@terrapublica.lt
www.terrapublica.lt

Tekstų autorė / Text by Danguolė Kandrotienė
Fotografas / Photographer Vytautas Kandrotas
Dizainerė / Designer Jūratė Ruzienė
Į anglų kalbą išvertė / Translated by UAB „Verslo strategija"
Redaktorė / Editor Daiva Čugunova

Spausdino / Printed by UAB „BALTO print", Utenos g. 41A, LT-08217 Vilnius

ISBN 978-9955-652-04-5

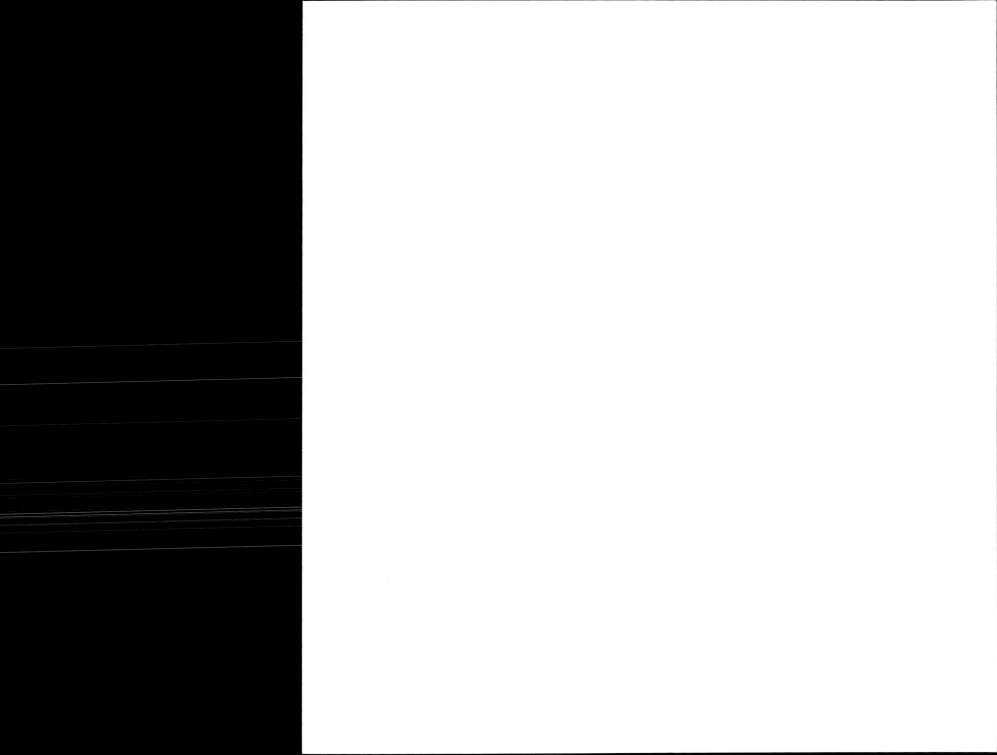